# L'AFRIQUE
## à petits pas

NATACHA SCHEIDHAUER · VINCENT CAUT

*À Philippe.*
*N. S.*

*ACTES SUD* JUNIOR

# Bonne arrivée !

C'est ainsi que les Africains souhaitent la bienvenue aux visiteurs. Déserts immenses, forêts humides, savanes dorées : ils sont plus d'un milliard d'hommes et de femmes à habiter un continent aux paysages contrastés.

Sahel signifie "frontière". Cette bande de terres presque arides borde le Sahara et traverse l'Afrique de l'Atlantique à la mer Rouge.

Sous les tropiques, entre les forêts et les déserts, se déploient les vastes étendues herbeuses de la savane.

Zambèze, Congo..., les plus longs fleuves d'Afrique prennent leur source au cœur du continent. Très puissants, ils se jettent dans des chutes vertigineuses, bouillonnant dans un vacarme impressionnant.

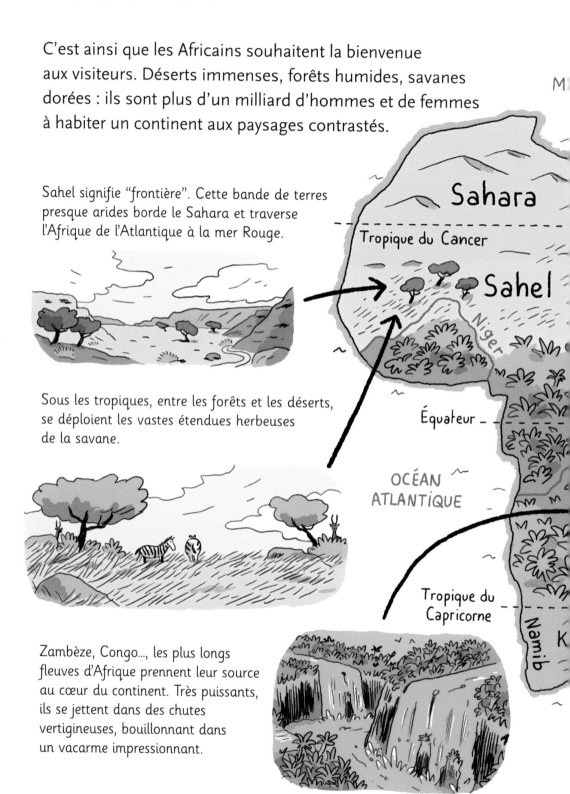

Difficilement pénétrable, la forêt africaine abrite des centaines d'espèces d'arbres et d'animaux. Comme la forêt amazonienne, c'est un poumon vert pour la planète.

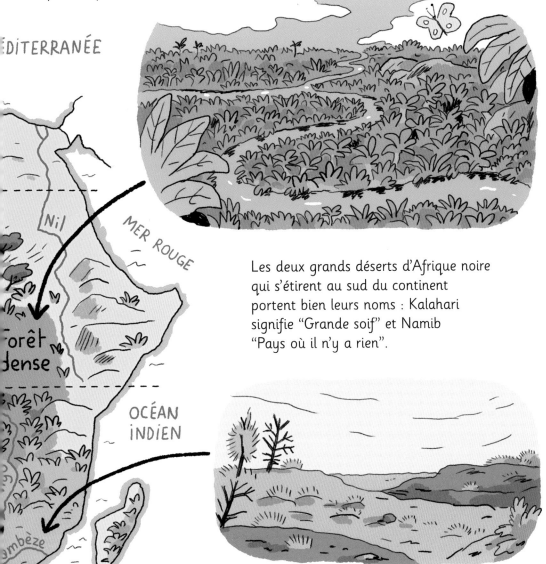

Nil

MER ROUGE

Forêt dense

OCÉAN INDIEN

Les deux grands déserts d'Afrique noire qui s'étirent au sud du continent portent bien leurs noms : Kalahari signifie "Grande soif" et Namib "Pays où il n'y a rien".

mbèze

ri

## Tous Africains

Kenya, Tchad, Afrique du Sud, à ce jour, c'est en Afrique que les plus anciennes traces de l'homme ont été retrouvées. C'est pourquoi ce continent est surnommé le "berceau de l'humanité". Il y a 60 000 ans, l'homme moderne, notre ancêtre, l'a quitté pour progressivement peupler le monde entier. Parce qu'ils ont fini par se retrouver séparés par des océans ou des montagnes, ses descendants ont alors évolué différemment. Ainsi, nous avons aujourd'hui des caractères physiques différents, comme la couleur de la peau ou la forme des yeux. Mais nous appartenons tous à une même famille et à la seule race humaine existante : l'humanité.

# I

# Ceux qui vivent là

# Un milliard d'habitants

Chasseurs de la forêt, éleveurs du Sahel, agriculteurs
de la savane, pêcheurs des fleuves ou commerçants des grandes
villes... Il y a autant de différences entre tous ces habitants
de l'Afrique et leurs modes de vie qu'entre les différents peuples
d'Europe.

### Ceux des savanes

Les hommes des savanes vivent au rythme des saisons. À la saison des pluies,
la terre se couvre de hautes herbes et devient cultivable. On y fait alors
pousser du mil ou du sorgho, mais aussi de l'arachide ou du coton.
Dès la moisson achevée, les troupeaux prennent le relais pour se nourrir
avant que la saison sèche n'arrive.
Les hommes habitent dans des maisons de boue séchée au toit de paille
et en construisent sur pilotis pour entreposer les récoltes à l'abri des rongeurs.
Il faut faire des réserves car les sécheresses sont fréquentes. Ainsi,
la principale préoccupation est de trouver de l'eau ; le puits du village,
en général unique, est très précieux. Mais il faut souvent creuser plus
profondément chaque année...

## Ceux du Sahel et des déserts

Dans les terres brûlées du Kalahari, en Namibie, ou bien dans le Sahel,
aux marges du Sahara, les hommes doivent s'adapter à un climat très difficile.
En Namibie, les San, surnommés Bochimans, sont devenus des chasseurs hors
pair. Ils se déplacent sans arrêt, suivant la piste des oryx et buvant l'eau
des plantes grasses. Ils bâtissent rarement des abris couverts et se contentent
souvent de planter des bâtonnets dans le sol pour délimiter leur "maison".
Dans le Sahel, les éleveurs nomades, comme les Peuls du Niger, circulent
avec leurs troupeaux en fonction des saisons. Leur campement est fait
de huttes de boue recouvertes de branchages et de couvertures de laine.
Ils se nourrissent rarement de viande et ne mangent pas leurs animaux
dont ils préfèrent boire le lait. Ils troquent aussi celui-ci contre des céréales
auprès des agriculteurs qu'ils rencontrent.

### Le savais-tu ?

Les Massaï élèvent leurs troupeaux dans les savanes du Kenya. Ils se nourrissent
de lait et du sang de leurs bêtes. Ils prélèvent le sang en très faible quantité
en pratiquant un petit trou au niveau du cou de l'animal, qu'ils rebouchent ensuite
avec un bâtonnet.

9

## Ceux des forêts

La forêt d'Afrique centrale est un milieu plein de dangers mais aussi plein de ressources. Pour y survivre, il faut en connaître tous les recoins et secrets. C'est ce que font les peuples qui y vivent en utilisant les matériaux naturels à portée de main. Ils construisent des huttes de branchages, fabriquent des arcs en liane ou de la vaisselle en écorce et se soignent avec les plantes. Pour se nourrir, ils chassent, cueillent des baies et des fruits ou cultivent une parcelle qu'ils ont d'abord déboisée en y mettant le feu. Au bout de quelque temps, ils déplacent leur campement et s'installent un peu plus loin.

## "Pygmées" en danger

Les meilleurs connaisseurs de la forêt sont ceux qu'on appelle "Pygmées", qui signifie "Petits Hommes". Eux n'apprécient pas ce terme : Aka, Bongo, Mbuti..., ils préfèrent se désigner par le nom de leur tribu. Leur nombre diminue car leur environnement et leurs réserves de chasse sont menacés par l'exploitation forestière, la multiplication des routes et l'invasion des véhicules 4 x 4.

### Ceux de l'eau

Il faut être très courageux pour affronter l'océan avec de simples pirogues de bois. C'est ce que font les peuples pêcheurs des bords de l'océan Atlantique ou des rivages de l'océan Indien, qui en ramènent des mérous, des barracudas ou bien des capitaines à la chair délicieuse.

À l'intérieur des terres, d'autres pratiquent la pêche dans les eaux du fleuve Niger (au Mali), ou du lac Tchad. Ils lancent leurs filets et leurs nasses en avançant à pied ou du bord de leurs embarcations en papyrus tressé, et remontent des poissons-chats, des tilapias et des barbus. Au Congo, certains n'hésitent pas à plonger dans les rapides du fleuve pour en ramener des carpes killies. Tous ces poissons sont ensuite cuits en sauce, grillés ou séchés : un très bon moyen de conservation lorsqu'on ne possède pas de réfrigérateur !

### Le savais-tu ?

Bien sûr, tous les Africains ne vivent pas dans les "campagnes".
Aujourd'hui, près de la moitié de la population du continent est installée en ville.

# Le lion et le moustique

Ce pourrait être le titre d'un conte africain. Il s'agit en réalité de deux espèces parmi toutes celles qui peuplent l'Afrique des savanes, des forêts et des déserts. Et la plus dangereuse n'est pas celle que l'on croit...

## Dans la savane

C'est le royaume des hautes herbes. Buffle, éléphant, girafe, zèbre..., elle abrite de grands herbivores qui s'y nourrissent de **graminées**. Des herbivores qui font aussi le régal de prédateurs redoutables, comme le lion ou le léopard...

À part de maigres acacias et quelques baobabs, rares sont les arbres pour se cacher... Ici, on peut voir et être vu de très loin, et mieux vaut savoir galoper pour échapper au danger. Ainsi, la savane abrite de nombreux champions de la course comme les antilopes. Il en existe 70 espèces différentes, de la toute petite dik-dik d'à peine 3 kg, à l'énorme élan du Cap et ses 800 kg ! Et le gracieux impala détient le record de vitesse, avec des pointes à plus de 80 km/h.

## De drôles de châteaux

Partout dans la savane, on trouve de drôles de châteaux de terre. Certains peuvent mesurer jusqu'à 9 m de haut ! Ce sont les nids des termites, ces petits insectes qui vivent en colonies de millions d'individus. On n'en connaît pas moins de 2 800 espèces !

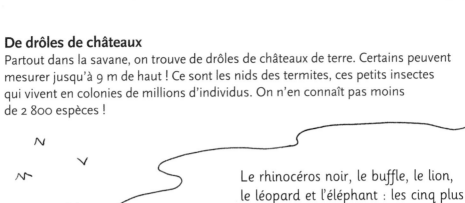

Le rhinocéros noir, le buffle, le lion, le léopard et l'éléphant : les cinq plus gros mammifères africains vivent dans la savane. Surnommés les "Big Five" (les "cinq grands", en anglais), ceux-ci sont menacés par les chasseurs peu scrupuleux et par les braconniers.

En plus des braconniers, les animaux doivent aussi affronter les paysans africains qui leur disputent le territoire pour installer leur bétail ou leurs cultures. En concurrence, l'homme et l'animal deviennent un danger l'un pour l'autre, mais des efforts sont faits dans certains pays, par exemple en Namibie, pour vivre en harmonie.

## Késako ?

La famille des graminées regroupe des céréales comme le blé, le riz, le maïs, l'orge, l'avoine, le seigle, le millet ou le sorgho.

## Au cœur de la forêt

Branches basses, racines, lianes, sol boueux…, circuler dans la forêt tropicale n'est pas facile. Mais pour les oiseaux ou les mammifères de petite taille comme les rongeurs ou les singes, c'est un paradis.

Des milliers d'insectes différents, des centaines de sortes d'oiseaux, de reptiles, de rongeurs et de singes, des léopards, de petits éléphants ou encore des hippopotames dans les cours d'eau, les forêts d'Afrique grouillent de vie ! Malgré cela, on n'en connaît souvent les habitants que par leurs cris et leurs traces car il est difficile de les apercevoir dans la pénombre et le fouillis de la forêt. Ainsi, des milliers d'espèces restent encore à découvrir…

... si la déforestation nous en laisse le temps ! Car l'homme détruit la forêt pour en cultiver le sol ou en exploiter les richesses, comme le bois. Et les singes en sont les premières victimes : colobes, cercopithèques, chimpanzés ou mandrills, tous ont besoin des arbres pour trouver leur nourriture mais aussi pour s'y mettre à l'abri de prédateurs comme le léopard.

Toutes ces espèces et d'autres sont aussi menacées par le braconnage. Par exemple, l'éléphant de forêt, bien plus petit que son cousin de la savane mais qui pèse tout de même près de 3 tonnes. On le trouve surtout au Gabon où vit la moitié des éléphants d'Afrique. Appelé "assala" dans la langue locale, il est en grand danger car, malgré le travail de protection des écogardes, plus de 20 000 bêtes ont été massacrées en dix ans pour leur ivoire !

### Piqûre mortelle

Le plus dangereux prédateur de la forêt n'est pas celui que l'on croit... Responsable de plus d'un demi-million de morts chaque année, il ne mesure pourtant pas plus de quelques centimètres. Cette terreur, c'est... le moustique ! Ou plutôt la maladie mortelle qu'il peut transmettre : le paludisme. Bientôt, un vaccin sera peut-être au point pour s'en protéger.

# Une nature bienveillante

"Pauvres", "défavorisés", entend-on souvent au sujet des pays africains. Pourtant, la terre d'Afrique est généreuse...

### Des trésors enfouis

Mines d'or, de diamant, de cuivre, de fer, gisements de pétrole, de gaz, de charbon, d'uranium..., les sous-sols de l'Afrique recèlent des trésors en quantité phénoménale !

Cette richesse a depuis longtemps inspiré les légendes et ébloui les premiers explorateurs de l'Afrique. Mais même dans un pays comme l'Afrique du Sud, pourtant premier producteur mondial d'or, les populations n'en profitent pas souvent.

## L'or vert

Les forêts d'Afrique regorgent, elles aussi, de trésors. Les bois tropicaux comme le wengé ou l'okoumé sont parfaits pour la menuiserie, notamment pour la fabrication du contreplaqué. À tel point que leur exploitation, souvent exagérée, met la forêt en danger.

Premier producteur de cacao, la Côte d'Ivoire exporte aussi du café en quantité. Malheureusement, les grandes sociétés internationales l'achètent à si bas prix que les paysans n'en tirent pas une grande richesse. Pourtant, cacao et café sont revendus au prix fort par ces mêmes sociétés dans les rayons de nos supermarchés...

### Le savais-tu ?

En Afrique, le beurre pousse sur... les arbres ! Le karité produit un fruit dont la graisse est utilisée pour frire les beignets, dans les sauces, mais aussi pour nourrir la peau et les cheveux.

### Une destination de rêve

La nature africaine est si belle et encore tellement sauvage que les touristes qui s'y aventurent en reviennent toujours émerveillés. Pourtant, seuls le Kenya et l'Afrique du Sud reçoivent de nombreux visiteurs. Les autres destinations attirent moins de monde à cause du manque de routes et d'hôtels, ou de l'insécurité qui y règne. Mais elles mériteraient tout autant d'être découvertes !

II

Jour après jour

# L'Afrique des villages et des villes

La moitié des habitants de l'Afrique sont des "campagnards" qui vivent dans des villages. Les autres ont aujourd'hui rejoint les villes et sont devenus des citadins.

### Chez moi, au village

Même si beaucoup sont attirés par les villes, le village reste un lieu précieux pour tout Africain. Entouré des siens, on s'y sent à l'abri des bêtes sauvages ou des mauvais génies. Auparavant, seuls les membres d'un même lignage, ceux qui avaient un ancêtre commun, pouvaient habiter le même village. Aujourd'hui, les villages abritent des familles d'origines différentes mais beaucoup de choses du quotidien n'ont pas changé.

La plupart du temps, les habitants vivent à l'extérieur des maisons. Dans celles-ci, on trouve juste de quoi dormir, un lit de bois ou une natte à même le sol, quelques coffres pour les vêtements et de la vaisselle. Pour s'éclairer, on utilise des torches, comme dans la forêt, ou des lampes à pétrole. Souvent, seuls les commerçants possèdent un groupe électrogène qui fournit de l'électricité.

## Ensemble, plus forts !

Vivre au village, c'est vivre en communauté. Tout le monde participe aux activités du quotidien et tout le monde connaît la vie du voisin. Si cette façon de faire empêche souvent d'avoir son intimité, elle offre en même temps une grande solidarité. Pas question de se retrouver seuls face aux travaux du quotidien ou aux moments importants de la vie : pour surveiller ses enfants, cultiver son champ, bâtir sa maison, lors d'un accouchement, de l'initiation (voir page suivante), d'un mariage ou pour organiser des obsèques, la communauté est toujours là.

Mais attention ! Celui qui se tient à l'écart est très mal vu par les autres. De la même façon, ceux qui sont différents, **albinos**, handicapés, orphelins..., sont souvent accusés de porter malheur au village. Ils peuvent être bannis ou, pire, assassinés.

### Késako ?

Albinos vient du mot *albus* qui signifie "blanc" en latin. Ce terme désigne des êtres humains atteints d'une maladie qui leur donne une peau, des yeux et des cheveux extrêmement clairs.

## Grandir au village

Enveloppés dans un pagne sur le dos de leur mère, les tout-petits la suivent partout et vivent au rythme de ses occupations. Les aînés participent très jeunes à la vie de la communauté : les filles aident leur mère en s'occupant des plus petits ou en allant chercher de l'eau au puits, tandis que les garçons sortent du village accompagnés de plus grands pour chercher du bois, aider aux champs ou participer à la chasse. Il faut souvent marcher de longues heures pour rejoindre l'école car tous les villages n'en possèdent pas. Parfois, c'est un villageois sachant lire et écrire qui est chargé par les parents de faire la classe aux enfants.

Dans une grande partie de l'Afrique, vers 12 ans, les enfants vivent une aventure très particulière... Enlevés par des inconnus aux masques effrayants, ils sont emmenés dans un camp, filles et garçons séparés, pour être initiés. L'initiation consiste à leur apprendre tout ce qu'il leur faut savoir dans la vie. Comment on fait les bébés et comment ils naissent, comment bien traiter sa femme ou son mari, ses enfants, comment se débrouiller à l'extérieur du village, comment survivre dans la grande forêt, pourquoi il faut être discipliné, solidaire... Une fois revenus au village, les voici considérés comme des adultes !

### "Que les vieilles bouches parlent aux jeunes oreilles"
Cette phrase est un peu notre "Il était une fois...". Assis sous l'arbre à palabres, les anciens, les **griots** et les conteurs racontent les histoires du passé et des contes dont la morale sert d'éducation. On y apprend que c'est souvent le plus intelligent qui triomphe, et non pas le plus fort, et que celui qui désobéit ou trahit le paie souvent d'une rencontre avec un mauvais génie...

### Késako ?
Griot vient d'un mot portugais qui signifie "crier". C'est le nom donné par les explorateurs aux conteurs africains qui s'accompagnent d'un instrument de musique pour rapporter les exploits des rois et l'histoire des empires.

### Et blablabli et blablabla...
Sous l'arbre à palabres en saison sèche ou bien sous un petit abri à la saison des pluies : dans chaque village, il y a toujours un endroit où s'abriter et se réunir pour évoquer des sujets qui intéressent toute la communauté.

## Vivre en ville

Aujourd'hui, beaucoup d'Africains quittent leur village, attirés par le progrès des villes. Ils rêvent d'y trouver de l'eau potable, de l'électricité, des soins médicaux, bref, tout ce dont ils manquent dans leurs campagnes ! Ils espèrent aussi obtenir un travail pour subsister sans dépendre de la sécheresse, de la déforestation... D'autres encore rejoignent la ville, contraints et forcés, poussés par la guerre et la famine.

Ainsi, les villes d'Afrique grandissent à une allure vertigineuse. Lagos, au Nigeria, a doublé sa population et accueille plus de 10 millions d'habitants, Kinshasa ou Khartoum plus de 5 millions, tandis que Paris, en comparaison, en compte à peine plus de 2 millions !

Dans les villes, on trouve des quartiers d'affaires, de belles maisons climatisées équipées d'écrans de télévision géants, de gros 4 × 4, d'immenses centres commerciaux..., mais aussi l'envers du décor... Car si de nombreux Africains travaillent dans les bureaux, les commerces ou les restaurants, il ne suffit pas de s'installer en ville pour réussir. Et beaucoup des pauvres qui débarquent restent pauvres. Ils se retrouvent alors obligés de loger dans des cabanes faites de planches, de tôles et de matériaux de récupération au cœur d'immenses bidonvilles. Là, dans des quartiers souvent inondés, où les ordures s'entassent à ciel ouvert et où les égouts débordent, leur rêve se transforme parfois en mirage et mieux vaut avoir de la famille déjà sur place pour s'entraider.

## Pubs africains

Musique à fond, bières et sodas bien frais, les maquis sont de petits bars-restaurants présents dans toutes les villes d'Afrique. On s'y régale de plats africains à prix très raisonnables et on peut y découvrir les musiciens locaux.

# Au marché

Que de monde, de bruits, de couleurs et d'odeurs ! Chaque ville d'Afrique possède son marché central où une foule compacte se presse chaque matin.

1. "Ma sœur ! Ma copine ! Regarde mon beau poisson !" Les vendeuses interpellent les clientes pour leur proposer leurs produits.

2. Les étals sont souvent de simples planches de bois. Parfois, les marchandises sont placées directement sur une natte posée au sol.

3. Statuettes, masques, poteries, bassines de fer-blanc, entre autres, les produits des artisans côtoient toutes sortes d'objets en plastique fabriqués en Chine.

4. Voilà le coin du poisson séché. Attention, l'odeur est très forte pour les nez sensibles !

5. Ces marchandes proposent des légumes mais aussi des herbes de toutes sortes pour parfumer la soupe et les sauces.

6. Attention au pili-pili, le piment de l'Afrique. Il est délicieux mais à consommer en toute petite quantité si on ne veut pas mettre le feu à son estomac !

7. Voici une vendeuse de chikwangue, du manioc bouilli et roulé dans une feuille de bananier. Idéal pour saucer les plats !

# À table !

Tiep, saka-saka, mbongo, bobotie, boule au gombo...
Ces noms mystérieux désignent des grands classiques
de la cuisine africaine. Arrosés de sauces goûteuses,
ils sentent bon les épices et sont parfois très pimentés !

### Au menu

On ne mange pas la même chose selon que l'on habite en Tanzanie,
en Afrique du Sud ou bien au Sénégal, mais on retrouve partout, à la base
de l'alimentation, des céréales ou des racines comme le mil, le riz, le maïs,
le manioc, la patate douce ou l'igname. La plupart des plats à base
de poisson, poulet ou **viande de brousse** sont cuits dans l'huile de palme
ou le beurre de karité.

### Késako ?

La **viande de brousse** désigne le gibier chassé par les paysans africains.
Singe, antilope, porc-épic, serpent ou sanglier, leur revente est interdite,
pour ne pas encourager les trafics.

### Magique Maggi !

Les céréales et les racines
sont fades. Pour les parfumer,
il faut préparer un bouillon assez
long à cuire. Pour gagner du temps,
les cuisinières d'Afrique de l'Ouest
ont adopté le bouillon en cube
"Maggi" et l'utilisent aujourd'hui
à toutes les sauces !

### Le chocolat indigène

Au Gabon, les cuisinières préparent
une sauce en pilant les graines
tiédies de l'acacia. Comme la pâte
obtenue a le goût du cacao,
elle a été baptisée "chocolat
indigène" ou "odika" en langue
locale.

### Passe derrière les fourneaux !

Voici une recette typique et facile à réaliser.

Il te faut :
1 poulet fermier entier
1 cuillère à soupe de vinaigre
1 cuillère à soupe d'huile
le jus d'un citron
1 cuillère à café de gingembre
1 cube Maggi

Demande au boucher d'ouvrir le poulet en deux sans le couper entièrement.
Fais-le mariner au moins une heure dans un mélange de jus de citron, gingembre,
vinaigre et cube Maggi délayé (et un peu de piment si tu le souhaites).
Puis enfourne-le pendant 40 minutes à 180 °C. Sers-le accompagné de patates douces
ou d'ignames frites.

### "Poulet cadavre" et "poulet bicyclette"

Le premier surnom désigne un poulet sans goût, enfermé toute la journée et traité
aux médicaments. Le second, un poulet élevé en plein air et qui "pédale" librement
dans les villages, passant de cour en cour. Il a bien meilleur goût !

III

Une histoire vieille comme le monde

# De puissants royaumes

Avec un passé aussi ancien que celui de l'humanité, l'Afrique est entrée dans l'histoire il y a bien longtemps. Une histoire que les griots sont chargés de transmettre à chaque nouvelle génération.

C'est dans le delta du Niger et au bord du lac Tchad que les premières cités africaines sont apparues. Enrichies par le commerce, elles ont très vite donné naissance à de puissants empires.

Le royaume d'Axoum, aujourd'hui une ville d'Éthiopie, est l'un des plus anciens royaumes chrétiens. Fondé au Ier siècle, il va s'étendre du Soudan au Yémen, par-delà la mer Rouge.
Au même moment, la cité de Jenné-Jeno, dont les ruines sont situées près de la ville de Djenné, au Mali actuel, abrite des milliers d'habitants et fait le commerce de l'or avec l'Afrique du Nord et l'Europe.

Du VIIIᵉ au XIᵉ siècle, l'empire du Ghana, entre le Niger et le Sénégal actuels, règne sur les routes commerciales et le trafic de l'or. Il sera bientôt remplacé par un empire plus puissant encore, l'empire du Mali. Au bord du lac Tchad, le royaume du Kanem-Bornou tire sa richesse du commerce des esclaves en échangeant des hommes contre des chevaux avec le monde arabe.

**Le savais-tu ?**
Parmi les richesses que les marchands s'échangent, il en est une plus précieuse encore que l'or ou l'argent. C'est... le sel ! Sous les grosses chaleurs, les habitants des savanes en ont un besoin vital pour retenir l'eau de leur corps.

Tandis que le royaume de Kongo, à l'embouchure du fleuve Congo,
commerce avec les Portugais, au XVᵉ siècle, le royaume du Zimbabwe,
au sud de l'Afrique, échange cuivre et or avec la Perse et même la Chine !
C'est aussi l'époque où le petit royaume de Gao renverse le puissant empire
du Mali et donne naissance à l'empire songhaï. Surnommée "la Perle
du désert", Tombouctou en sera la capitale culturelle avec une université
renommée.

La forêt est un obstacle à la formation de grands empires. On y circule mal et cela complique les échanges. Mais, grâce à son rivage qui lui permet de commercer avec l'Europe, le Bénin actuel a été le siège de grands royaumes, comme celui du Dahomey, au XVII$^e$ siècle. Celui-ci est célèbre pour ses guerrières, surnommées les amazones.

# Les premiers explorateurs

Ils ont bravé la peur de l'inconnu pour s'enfoncer toujours plus loin au cœur de l'Afrique. Explorateurs motivés par la curiosité, militaires en service pour leur pays, aventuriers attirés par les richesses, voici quelques-uns de ceux qui ont découvert l'Afrique.

### Ibn Battuta
Né au Maroc, ce voyageur du Moyen Âge passe la moitié de sa vie à explorer le monde. Il est l'un des premiers à traverser le Sahara pour se rendre en Afrique noire. Il y observe le commerce de l'or que le Soudan échange contre le sel venu du nord du Mali actuel. Fasciné par la richesse de l'Empire malien, il décrit les costumes d'argent et les lances en or des guerriers. Mais il revient aussi choqué par des scènes d'**anthropophagie** et par la tenue des femmes africaines que, en tant que musulman, il trouve trop dénudées.

### Késako ?
Pratiquée autrefois par certains peuples d'Afrique, l'anthropophagie consiste à manger de la chair humaine.

### René Caillié

À 17 ans, cet explorateur français embarque pour la première fois
à destination de l'Afrique. Sénégal, Niger, Sierra Leone, Guinée, Côte d'Ivoire...
il va parcourir l'Afrique de l'Ouest dans tous les sens. Mais son exploit est d'être
le premier voyageur non musulman à pénétrer dans la cité de Tombouctou,
en 1828, et surtout de revenir vivant de cette ville alors interdite aux chrétiens !

### Alexandrine Tiné

Fille d'un très riche marchand
hollandais, exploratrice et photographe,
elle part en 1862, en compagnie
de sa mère et de sa tante,
à la recherche des sources du Nil,
ce fleuve immense qui irrigue l'Égypte.
Malgré le décès de sa mère
et de sa tante, mortes de la fièvre,
elle n'hésite pas à repartir pour
l'Afrique. Elle est la première femme
européenne à traverser le désert
du Sahara où elle meurt à 39 ans,
assassinée probablement par
des voleurs.

### Le savais-tu ?

Les Africains craignaient l'arrivée des caravanes étrangères car les Blancs avaient
la réputation d'être anthropophages. Une réputation que ceux-ci avaient l'habitude
de faire aux Noirs. Tout est affaire de point de vue...

**Henry Stanley et David Livingstone**

À la demande de son directeur, le journaliste Henry Stanley débarque à Zanzibar à la recherche du docteur David Livingstone, un explorateur écossais qui ne donne plus de nouvelles. Il le retrouve sur les bords du lac Tanganyika, en Tanzanie. Malade, Livingstone refuse pourtant de quitter l'Afrique dont il est tombé amoureux. Après avoir découvert les sources du Zambèze et le lac Malawi, il mourra avant de trouver les sources du Nil. Stanley va continuer son exploration du continent au service d'un esclavagiste sans scrupule, Léopold II, roi des Belges. Il sera le premier à traverser l'Afrique d'un océan à l'autre.

## Pierre Savorgnan de Brazza

Explorateur français d'origine italienne, cet officier de la marine française
est envoyé en Afrique centrale pour contrôler de nouvelles terres. Il s'enfonce
à pied à partir du Gabon et atteint le fleuve Congo en 1880. Là, il signe
un traité avec le roi des Tékés, Makoko, qui accepte la protection de la France.
Sur un terrain cédé par Makoko, Savorgnan de Brazza va fonder une ville qui
deviendra la capitale du Congo. Elle porte aujourd'hui le nom de "Brazzaville"
en l'honneur de cet explorateur juste et pacifiste, et sur la tombe duquel
est gravé "Sa mémoire est pure de sang humain".

## Le mystère des sources du Nil

Depuis les Égyptiens, l'homme a tenté de comprendre d'où venait le Nil sans jamais
oser s'aventurer au-delà du Soudan. Au XIXᵉ siècle, des Européens décident d'élucider
le mystère en organisant plusieurs expéditions. Bruce, Burton, Speke, Bauman, Kand...,
les uns après les autres, ils vont découvrir les lacs qui alimentent le fleuve : le lac
Victoria, partagé entre le Kenya, l'Ouganda et la Tanzanie, et le lac Tana, en Éthiopie.
Mais la question intrigue toujours et, récemment, des explorateurs sont remontés
au-delà des lacs pour découvrir la source la plus lointaine du Nil : une petite rivière
au cœur du Rwanda.

# Le commerce du **bois d'ébène**

Au début, l'homme se débarrassait de son ennemi en le tuant
ou en le mangeant. Depuis les Sumériens de l'ancien Irak,
il a compris que cet ennemi pouvait lui être utile et a inventé
l'esclavage et la traite d'êtres humains. Les Africains ont
participé à cette pratique honteuse mais ils en ont surtout
été les plus nombreuses victimes.

### La traite entre Africains

Pendant longtemps, en Afrique, on a réduit à l'esclavage les prisonniers
capturés dans les tribus adverses. Des hommes, des femmes et même leurs
enfants devenaient aussi esclaves en échange du paiement de leurs dettes.
Comme les pharaons d'Égypte, les empereurs éthiopiens d'Axoum allaient
chercher leurs esclaves en Nubie, entre l'Égypte et le Soudan actuels.
Les royaumes du Mali ou du Kanem-Bornou prospéraient en exploitant
les esclaves directement dans les plantations ou grâce à leur commerce.
Comme le royaume ashanti ou celui du Dahomey, qui s'enrichissaient
en fournissant les Européens en esclaves. Aujourd'hui, l'esclavage est interdit
mais il subsiste dans des pays comme la Mauritanie et peut réapparaître
lors de guerres civiles, comme au Soudan ou au Congo.

## La traite orientale

Dans les palmeraies de Mésopotamie, dans l'Irak actuel, et sur les marchés de La Mecque, en Arabie Saoudite, on trouve des esclaves africains amenés par les marchands arabes bien avant la naissance de l'islam. Plus tard, le trafiquant Tippo Tip, un riche négociant de Zanzibar, s'aventure jusqu'au cœur de l'Afrique et capture les esclaves par villages entiers. Des Berbères, des Persans, des Javanais et des Chinois font aussi le commerce d'êtres humains en même temps que celui de l'ivoire d'éléphant. La plupart de leurs captifs transitent par l'île de Zanzibar, au large de l'actuelle Tanzanie.

## Késako ?

Le bois d'ébène désigne les esclaves, considérés comme des marchandises et baptisés ainsi en raison de leur couleur de peau, noire comme le bois d'ébène.

## La traite occidentale

Au Moyen Âge, les Européens achetaient les esclaves aux marchands arabo-musulmans. Mais, un jour de 1441, des navigateurs portugais entrent en contact avec une tribu africaine et repartent avec une dizaine d'esclaves. Dès lors, les échanges vont se faire directement, sans l'intermédiaire des marchands arabes. Encouragées par la demande, ou par crainte de devoir livrer leurs propres membres, certaines tribus se spécialisent dans la capture d'esclaves tandis que d'autres assurent leur transport jusqu'à la côte. Là, les esclaves sont troqués contre des objets proposés par les Européens.

### Le savais-tu ?

Les esclaves partaient sans espoir de revoir les leurs. Au Bénin, l'endroit où ils embarquaient pour l'Amérique porte le nom de "Porte du non-retour". Tandis que Bagamoyo, en face de Zanzibar d'où les esclaves rejoignaient les riches sultanats, signifie "Brise-cœur" en langue swahilie.

## Le commerce triangulaire

Cent ans plus tard, des bateaux venus d'Europe embarquent les esclaves
africains pour l'Amérique et les Antilles. Là-bas, Anglais, Français
et Hollandais ont besoin de bras pour travailler dans les mines
et les plantations. La main-d'œuvre locale et les prisonniers amenés d'Europe
ne suffisent plus, et un trafic à grande échelle se met alors en place.
Après avoir chargé le "bois d'ébène" sur les côtes de l'Afrique, les bateaux
entament la traversée de l'océan Atlantique. Enchaînés, allongés les uns
contre les autres à même le sol, les esclaves voyagent dans des conditions
effroyables et une grande partie meurt avant d'arriver à destination.
Une fois leur cargaison livrée, les bateaux reprennent alors le chemin
de l'Europe chargés de sucre, de tabac puis de coton. La route qu'ils suivent
entre l'Europe, l'Afrique et l'Amérique forme un triangle et le commerce
des esclaves est ainsi baptisé **commerce triangulaire**.

## Une catastrophe

Les historiens avancent le chiffre de 28 millions d'êtres humains déportés
entre les différentes traites. Un chiffre auquel il faut ajouter tous ceux qui sont
morts en se défendant, ou qui n'ont pas survécu aux horribles conditions
de transport... Quoi qu'il en soit, l'esclavage a bouleversé le continent africain
et laissé des traces durables en dépeuplant des régions entières.

# De la colonisation à l'indépendance

Au XIX<sup>e</sup> siècle, l'Europe se modernise et a besoin de matières premières pour alimenter ses usines.
Les riches ressources naturelles de l'Afrique sont bien tentantes pour les Européens, qui décident de se les approprier.

### Exploiter les richesses de l'Afrique

Bons navigateurs, les Portugais puis les Espagnols ont ouvert la voie en fondant les premiers comptoirs commerciaux sur les côtes de l'Afrique. La France, la Hollande et l'Angleterre leur ont emboîté le pas. Dès lors, ces pays installent des sociétés commerciales qui alimentent l'Europe avec, par exemple, l'huile de palme du golfe de Guinée, l'ivoire de Tanzanie ou le bois du Gabon.

Pour mieux contrôler le commerce de ces richesses, les sociétés passent des accords de protectorat avec les chefs africains, qui croient à des traités d'amitié, se laissent convaincre par des cadeaux ou se soumettent par crainte. Car les Européens bannissent purement et simplement ceux qui ne sont pas d'accord, comme le roi de Lagos au Nigeria. Selon ces "contrats", les sociétés se réservent le commerce et les relations internationales et laissent aux chefs l'administration locale.

Mais les États européens en veulent plus. En 1885, une conférence réunit les pays présents en Afrique pour organiser le partage du continent. Bien sûr, aucun des chefs africains qui ont signé des traités n'est invité. La course à la colonisation est lancée. Chacun veut prendre son concurrent de vitesse en plantant le premier son drapeau sur un bout de territoire ou en utilisant la force. Les Africains réagissent et tentent de créer des États ou de combattre les envahisseurs européens, mais leur courage ne suffit pas car ceux-ci sont mieux armés. Seule l'Éthiopie réussit à résister en battant les Italiens.

### Le savais-tu ?

Les Européens qui se partagent l'Afrique en connaissent très mal la géographie. Ils vont tracer les limites des pays à grands traits sans se soucier des populations et des différences locales. C'est pourquoi on peut voir de drôles de frontières à angle droit sur la carte de l'Afrique.

## Les mentalités changent

Loin de leur pays, les sociétés qui exploitent l'Afrique vont souvent abuser
de leur pouvoir pour s'enrichir sans scrupule. Bien que l'esclavage soit
aboli, le travail forcé qui le remplace n'arrange rien et les hommes meurent
d'épuisement et de mauvais traitements.

Le roi Léopold II de Belgique, qui s'est approprié le Congo à titre personnel,
y fait travailler les habitants dans des conditions si inhumaines que les autres
pays vont l'obliger à se retirer d'Afrique. Des officiers français, pris d'une folie
destructrice, mettent le Mali à feu et à sang sur leur passage. Ils finiront
assassinés par leurs propres soldats.

Toutes ces atrocités poussent les peuples européens à rejeter de plus en plus
le système colonial. Les Européens ont aussi croisé des soldats venus d'Afrique
pour participer aux batailles des deux guerres mondiales. Surtout, l'Europe
a elle-même subi la colonisation allemande pendant la Seconde Guerre
mondiale et cela l'amène à réfléchir… De leur côté, les Africains prennent
conscience de leurs droits et revendiquent leur liberté. Au cours des années
1960, la plupart des pays colonisés obtiennent ainsi leur indépendance,
à commencer par le Ghana.

Mais la colonisation a laissé des traces. Même si les pays colonisateurs ont construit des hôpitaux, fait reculer de nombreuses maladies comme la peste ou la tuberculose grâce à des campagnes de vaccination et construit des écoles, leur passage a bouleversé l'Afrique. Le Gabon et le Sénégal se retrouvent aujourd'hui spécialisés dans l'exploitation du bois ou la culture de l'arachide parce que les Européens en ont décidé ainsi, et cela appauvrit leur agriculture et leur environnement. Les indépendances ont plongé l'Afrique dans des guerres civiles entre les différents groupes africains qui voulaient prendre le pouvoir. En Éthiopie, au Congo, au Nigeria…, ces guerres ont fait des morts par millions et certaines continuent encore !

### Le savais-tu ?

Pour mieux contrôler l'Afrique du Sud, les Blancs ont créé l'**apartheid**, une loi les séparant des Noirs. Décidé en 1950, l'apartheid va priver les Noirs de la plupart de leurs droits. Pas question de se marier avec un Blanc, ni de fréquenter les mêmes lieux publics ou les mêmes autobus. Les Noirs doivent aussi habiter dans des quartiers réservés, les bantoustans. Il faudra attendre 1991 pour que cette loi disparaisse.

IV

Les couleurs de l'Afrique

# Un monde magique

Quand on vit au cœur de la nature, on noue un lien très fort avec elle. Même si, aujourd'hui, beaucoup d'Africains sont chrétiens ou musulmans, la plupart n'ont pas oublié les croyances de leurs ancêtres. Des ancêtres qui ne voyaient pas le monde sauvage tout à fait comme nous...

## L'animisme

C'est la religion traditionnelle de l'Afrique. Pratiquée bien avant le christianisme ou l'islam, elle résiste toujours aujourd'hui. Les animistes pensent que les animaux mais aussi les végétaux et certains objets ont une âme, et ils croient aux forces naturelles comme le vent ou la foudre. Ainsi, très proches de la nature, ils la remercient après avoir coupé un arbre ou abattu une bête, ou font un sacrifice pour rendre symboliquement ce qu'ils ont pris. C'est leur façon de préserver l'équilibre du monde.

## Un, deux, trois dieux...

Les religions africaines sont polythéistes. Cela signifie que leurs croyants adorent plusieurs dieux. La plupart ont un dieu créateur, sorte de dieu en chef, comme Amma chez les Dogons, Nyamé chez les Ashanti ou Mulungu au Kenya. Mais ils préfèrent s'adresser aux génies, des divinités plus proches de leurs préoccupations quotidiennes. Ainsi, les chasseurs honorent des animaux redoutés, comme la panthère, et les éleveurs des phénomènes naturels, comme l'eau ou le tonnerre. Au moment des semis ou avant de partir à la chasse, ils organisent des cérémonies pour demander la protection de ces divinités et communiquent avec elles au son des tambours.

### Le savais-tu ?

Zombies, magie noire..., le culte africain vaudou a parfois mauvaise réputation. Pourtant, c'est une religion animiste comme une autre. Elle vénère des forces naturelles comme l'eau ou l'orage, et bien sûr, les ancêtres !

## Le culte des ancêtres

Dans un pays où l'histoire ne s'écrit pas mais se raconte, on conserve la mémoire des choses passées grâce aux récits des griots et aux masques représentant les ancêtres. Parce que ceux-ci ont défriché les forêts, inventé les outils en fer ou la poterie, leurs descendants leur rendent hommage au travers de statuettes fabriquées par les sculpteurs. Ils leur apportent des offrandes pour s'attirer leur protection et les inciter à parler aux dieux en leur faveur.

## Des guérisseurs...

Chez les musulmans d'Afrique, le guérisseur est appelé marabout. Les personnes peu éduquées le croient doté de pouvoirs surnaturels et lui confient leurs problèmes ou leurs maladies. Il leur prépare alors un talisman, un petit sachet de cuir ou une boîte de métal, dans lequel il glisse des formules magiques ou des extraits du **Coran**. Cela suffit parfois à rassurer ceux qui étaient seulement anxieux.

En Afrique centrale, le n'ganga (le guérisseur) peut aussi préparer des potions à base de plantes de la forêt qu'il connaît par cœur. Bien utilisées, ces plantes peuvent avoir un réel effet bénéfique car ce sont les mêmes qui sont à l'origine de nos médicaments.

## Porte-bonheur et porte-malheur

Les grigris sont les talismans traditionnels de l'Afrique. Poils d'animaux, racines, pierres..., ils sont portés sur soi ou cachés dans des recoins de la maison et sont censés amener la chance. Au contraire, les fétiches sont des objets utilisés pour jeter un sort. Il peut s'agir de statuettes dans lesquelles on plante des clous pour atteindre un "ennemi".

## ... ou des sorciers ?

Parfois, ces hommes sont mal intentionnés et ils en profitent pour établir leur pouvoir sur un client ou sur toute une communauté en semant le désordre. Ils provoquent des disputes parmi des familles ou des voisins, ou des expulsions de personnes du village en les accusant de sorcellerie.

## Késako ?

Le Coran est le livre sacré des musulmans.

# Au son des rythmes africains

"Pincez tous vos koras, frappez vos balafons !"
Comme le chante l'hymne national du Sénégal, les rythmes
accompagnent les Africains tout au long de leur vie.
Les instruments sont utilisés pour les chants et les danses
quotidiennes mais ils servent aussi à communiquer.

### Les tambours

Grands, petits, cylindriques, coniques...
Il en existe des centaines de variétés.
Ils sont employés pour faire
de la musique mais aussi pour
transmettre des messages
aux esprits ou aux vivants des villages
environnants. Utilisé par de nombreux
musiciens de musiques modernes
comme le jazz ou le rock, le djembé
est le plus connu dans le monde.

### La kora

Cette harpe-luth est surtout utilisée
par les griots pour accompagner
leurs récits. Sur une moitié de courge,
une peau d'animal est fixée avec
des clous. Le manche possède
en général 21 cordes. On en joue
debout ou assis, en pinçant les cordes
avec le pouce et l'index de chaque
main.

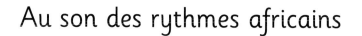

### Le balafon

Ce xylophone est fait de lames de bois attachées entre elles. Plus elles sont courtes, plus le son est aigu lorsque le musicien les frappe avec des baguettes au bout caoutchouté. Elles reposent sur des **calebasses** qui font résonner l'instrument.

### La sanza

Piano à pouce de l'Afrique, la sanza est constituée de languettes de métal fixées sur une caisse de résonance. Celle-ci peut être une courge, une noix de coco, une calebasse ou même une simple planche.

### L'arc musical

Inspiré de l'arc de chasse, c'est le plus simple des instruments à cordes. Et aussi le plus ancien car on a retrouvé des peintures préhistoriques le représentant. Tendue entre les deux extrémités d'une tige de bois, une corde est pincée ou frappée avec un bâton. Pour faire résonner l'instrument, le musicien lui adjoint une calebasse ou utilise sa bouche.

### Le savais-tu ?

Certains tambours, comme le kalungu, imitent des sons du langage parlé. Ainsi, il est possible au tambourinaire d'épeler un nom, par exemple pour prévenir d'un décès.

### Késako ?

La calebasse est une sorte de grosse courge vidée et séchée. Elle est utilisée pour fabriquer les instruments de musique mais aussi comme récipient pour la cuisine ou la toilette.

# Quels artistes !

Maisons, vêtements…, les Africains aiment embellir leur quotidien ! Et l'Afrique compte des artistes célèbres qui exposent dans les galeries du monde entier.

### Au quotidien…

Le corps et la maison servent de toiles aux artistes de tous les jours. Dans certains pays, les murs des maisons sont finement décorés. Ce sont les femmes qui se chargent de cette tâche. À Tiébélé, au Burkina Faso, les habitants dessinent des objets du quotidien tandis que les Ndébélé d'Afrique du Sud sont célèbres dans le monde entier pour leurs motifs géométriques très colorés.

Le corps, lui, est mis en valeur par des **scarifications**. Et les cheveux portent des perles et des coquillages, par coquetterie mais aussi pour éloigner les mauvais génies.

### Késako ?

Les scarifications sont de petites incisions qui laissent des cicatrices indélébiles sur le corps. Elles remplacent le tatouage, peu visible sur les peaux foncées.

## ... ou sur la scène

Des chanteurs ou musiciens comme Rokia Traoré, Angélique Kidjo, Toumani Diabaté, Johnny Clegg, les Benda Bilili ou encore les Tambours du Burundi, des sculpteurs comme Ousmane Sow, et des photographes comme Boniface Mwangi, sont connus mondialement ! Côté cinéma, les acteurs du Nigeria ont présenté le premier Festival du cinéma nigérian, en 2013, à Paris. Ce pays produit tellement de films qu'on l'a surnommé "Nollywood", à l'image du Hollywood américain.

## Les rois de la récup

Côté recyclage, les Africains ont bien de l'avance sur nous ! Car, au lieu de jeter systématiquement ce qui ne fonctionne plus, ils le récupèrent et le démontent pour fabriquer autre chose. Canette de soda ou simple fil de fer transformés en jouets, ou encore vieux morceau de pneu devenu chaussure : ici, rien ne se perd, tout se transforme !

### Des œuvres d'art

L'art est aussi présent sur les vêtements traditionnels. Pagnes ou boubous, tous sont réalisés avec des tissus colorés, ornés de riches dessins. Bogolans du Mali, teints avec des écorces d'arbres, kubas d'Afrique centrale, faites de raphia tissé et portées à la taille, ou shukas des Massaï, colorées à l'ocre rouge et nouées sur l'épaule…, la beauté de ces tissus imprimés inspire les créateurs de mode du monde entier et on peut les voir sur le podium des défilés.

À côté de ces vêtements traditionnels, aussi beaux que pratiques sous les grosses chaleurs, les Africains portent aussi la mode occidentale. Et l'on trouve également des vêtements qui conjuguent tradition et modernité, mode africaine et mode occidentale. Ainsi, de jeunes stylistes africains proposent de très belles créations artistiques où des matières comme le cuir et le nylon se mêlent à des matériaux naturels, comme l'écorce et le raphia.

### Le savais-tu ?
Les Nanas Benz sont des commerçantes du Togo qui ont fait fortune en vendant des **wax**, des tissus de grande qualité. Leur surnom leur vient de Mercedes-Benz, ces grosses voitures allemandes qu'elles s'offraient avec leurs revenus. Mais aujourd'hui, elles doivent affronter la concurrence des imitations chinoises qui envahissent les marchés africains...

### Késako ?
Wax signifie "cire" en anglais. Pour réaliser les motifs des wax, on en protège certaines parties en appliquant de la cire. Ainsi, la teinture ne pénètre pas dans la partie "cirée".

# Les sept plaies de l'Afrique

Dictateurs, famines, épidémies, guerres civiles, trafics
en tout genre et exil de ses habitants : le continent africain
doit surmonter de nombreux obstacles.

### La démocratie... à tout petits pas

Après l'indépendance, les peuples d'Afrique ont voulu choisir la démocratie
en votant pour élire leur chef d'État. Mais cela n'a pas toujours été facile :
beaucoup d'hommes au pouvoir n'ont pas laissé la place démocratiquement.
Ils n'ont pas hésité à truquer les votes ou à combattre leurs opposants pour
garder leur place. Et des opposants ont aussi organisé des coups d'État pour
prendre le pouvoir par la force.

Depuis 1990, une trentaine de pays africains organisent des élections.
Elles ne se déroulent pas toujours parfaitement mais l'Afrique compte ainsi
une petite dizaine de démocraties, dont la plus exemplaire est l'île Maurice.
Et la deuxième femme présidente d'un pays d'Afrique a même été élue
en 2012, au Malawi.

## Encore trop de corruption

Comme de nombreux pays du monde, l'Afrique souffre de la corruption.
Cette pratique consiste à détourner de l'argent pour son intérêt personnel.
Ainsi, des chefs d'État, des ministres ou de hauts responsables utilisent
l'argent du pays pour leurs propres dépenses et celles de leurs alliés. Souvent,
aussi, des fonctionnaires exigent un **pot-de-vin** des personnes venues obtenir
un permis de conduire ou inscrire un enfant à l'école. Cette pratique illégale
leur permet de compléter un salaire souvent dérisoire ou parfois payé avec
beaucoup de retard. Dans les deux cas, la corruption appauvrit
les populations du pays.

### Késako ?
Un pot-de-vin est une somme d'argent versée illégalement ou exigée pour obtenir
un contrat ou un service.

## La faim, toujours

Trop d'Africains s'endorment le ventre vide ou ne peuvent s'offrir qu'un repas tous les deux jours. Seuls 5 pays sur 49 nourrissent leurs habitants correctement sans l'**aide alimentaire** internationale. Et, lorsqu'un enfant de moins de 5 ans meurt en Afrique, c'est une fois sur deux imputable au manque de nourriture...

Parmi les raisons de cette catastrophe : des causes naturelles comme la sécheresse et les inondations qui détruisent les cultures, ou les invasions de sauterelles qui les dévorent ; les guerres civiles, qui font fuir les populations, empêchant de cultiver les champs ; mais aussi les mauvaises politiques agricoles menées par les dirigeants des pays.

### Késako ?

L'aide alimentaire internationale est envoyée par un pays à un autre pour l'aider à nourrir sa population.

## Des épidémies mortelles

Lorsque trois malades décèdent du sida dans le monde, deux sont des Africains ! Le nombre de personnes atteintes par cette maladie mortelle y est très élevé, notamment au Botswana ou au Zimbabwe. Par manque d'information, encore trop peu d'Africains savent comment se protéger du sida. Et trop peu ont les moyens de se payer les médicaments qui permettent de vivre avec cette maladie dont on attend un vaccin peut-être pour 2015...

Comme si le sida ne suffisait pas, l'Afrique doit aussi faire face à des virus mortels comme le paludisme (voir page 15) ou la fièvre Ébola. Ces maladies, transmises par les animaux, donnent des fièvres mortelles et font des millions de victimes, surtout dans les régions forestières.

## Le savais-tu ?

En 2017, les laboratoires pharmaceutiques africains auront le droit de fabriquer des copies des médicaments contre le sida. Vendues moins cher mais tout aussi efficaces, elles vont permettre de sauver des milliers de vies !

## Des guerres sans fin

Voilà cinquante ans, depuis les indépendances, que les guerres font
des millions de morts en Afrique. Au Soudan, en Angola, en Somalie,
au Congo-Kinshasa..., elles ont tué 8 millions de personnes, soit autant que
la Première Guerre mondiale en Europe ! Ces guerres sont des guerres civiles ;
elles n'opposent pas un pays à un autre mais des groupes d'un même pays
dont chacun d'eux veut prendre le pouvoir et s'en approprier les richesses.
Ces groupes kidnappent souvent des enfants pour en faire des soldats.
Ces très jeunes "combattants" sont ensuite traumatisés à vie par les horreurs
auxquelles ils assistent ou qu'on les force à commettre. Obligées de fuir
vers les pays voisins pour échapper à la torture, au viol ou à la mort,
les populations se retrouvent dans des camps de réfugiés où les conditions
de vie sont souvent très difficiles. Hébergées dans des tentes ou
des installations de fortune, elles survivent grâce à l'aide alimentaire
en attendant de pouvoir un jour regagner leur pays d'origine.

## Des richesses maudites

Et si habiter un pays riche en pétrole ou en diamants était une malédiction ?
C'est ce qui arrive aux populations du Nigeria ou de Guinée-équatoriale.
L'argent de la vente du pétrole ne profite pas à la population qui vit
dans une extrême pauvreté. Seule une poignée de personnes au pouvoir
s'enrichissent. Quant à l'Angola, riche en diamants, il a subi vingt-cinq ans
de guerre civile entre des groupes armés qui se disputaient l'argent du trafic
de ces pierres précieuses. Au Congo-Kinshasa, c'est pour exploiter le coltan
que des milliers d'hommes et de jeunes enfants se tuent à la tâche dans
les mines. Surnommé l'or gris, ce minerai est indispensable pour faire
fonctionner les téléphones portables du monde entier, et cela représente
un très gros marché !

## Le savais-tu ?

Les diamants, dont le trafic finance les guerres civiles africaines, sont appelés
"diamants de sang". Depuis 2003, les joailliers qui transforment ces pierres en bijoux
dans le monde entier sont obligés de vérifier qu'ils achètent des diamants "propres",
extraits par des sociétés légales et non par des trafiquants sans scrupule.

## L'exil des plus jeunes et des plus diplômés

La misère et les guerres poussent les populations à quitter leur pays.
On appelle cela l'immigration forcée, une calamité qui touche 40 millions
d'Africains ! Si les candidats à une vie meilleure se tournent vers l'Europe
ou les États-Unis, le plus grand nombre trouve refuge dans le pays voisin.
Ainsi, le Tchad et le Kenya accueillent des centaines de milliers de réfugiés
venus du Soudan ou de Somalie. Quant à la Côte d'Ivoire, elle compte
quatre fois plus d'immigrés que la France. Un record du monde
qu'elle partage avec l'Australie !

Quitter sa maison, ses amis et souvent sa famille est une véritable
déchirure. Mais c'est encore plus dur pour ceux qui décident d'aller jusqu'en
Europe. Ceux-là doivent faire preuve d'un grand courage : souvent pauvres
et sans **visa**, ils voyagent dans des conditions très difficiles en se cachant
des contrôles policiers. On les appelle les "clandestins".

Mais tous les Africains qui viennent s'installer en Europe n'ont pas de problème de visa ! La porte s'ouvre plus aisément pour les footballeurs talentueux ou pour des diplômés comme les ingénieurs ou les médecins. Car, inquiets de devoir accueillir "toute la misère du monde", les pays occidentaux ont décidé de laisser plus facilement entrer des personnes hautement qualifiées. Ainsi, chaque année, environ 20 000 cadres africains s'installent dans des pays occidentaux, où ils ont souvent fait leurs études, et près d'un chercheur africain sur deux travaille en France. Un vrai problème pour l'Afrique qui assiste à une fuite des cerveaux, c'est-à-dire au départ de ses éléments les plus brillants alors qu'ils pourraient aider leur pays à se développer.

### Un voyage de tous les dangers

Les "clandestins" sont souvent de jeunes hommes, seuls ou avec femme et enfants. Ils n'hésitent pas à risquer leur vie pour quitter l'Afrique dans l'espoir d'une vie meilleure.
Certains se débrouillent seuls et on retrouve parfois leur corps sans vie dans le train d'atterrissage d'un avion venu d'Afrique... D'autres choisissent de voyager en groupe sous la conduite d'un passeur qui leur prend toutes leurs économies. Ceux-là finissent trop souvent noyés après que leur embarcation de fortune a coulé en Méditerranée.

### Késako ?

Un visa est une autorisation de séjourner, pour les vacances ou le travail, dans un autre pays que le sien.

# Et demain ?

L'Afrique est devenu un continent plein de contrastes :
on y trouve aujourd'hui des dictatures et des démocraties,
des villas luxueuses et des bidonvilles, des tambours parleurs
et des téléphones portables... Il y a de réels progrès, mais encore
tant de problèmes à régler qu'il est difficile de savoir de quoi
sera fait l'avenir des Africains.

Jusqu'ici, lorsque les télés, les radios et les journaux nous parlaient
de l'Afrique, c'était toujours pour annoncer des guerres, des coups d'États,
des famines ou des épidémies. Aujourd'hui, de plus en plus de voix optimistes
s'élèvent pour nous parler de l'Afrique comme du continent le plus prometteur
du XXIᵉ siècle. Qui a tort, qui a raison ?

La réponse se situe vraisemblablement entre les deux. Car tous les spécialistes
s'accordent pour dire que les conditions de vie des Africains s'améliorent peu
à peu. Ainsi, la démocratie fait des progrès. Grâce aux téléphones portables
et à Internet, l'information circule plus facilement et les dictateurs peuvent
plus difficilement mentir pour s'accaparer le pouvoir. Les chiffres
de la maladie et de la faim reculent aussi. Mais un pauvre sur trois
dans le monde vit toujours en Afrique car les richesses du continent
sont encore trop mal partagées entre tous.

Heureusement, des initiatives voient le jour dans tous les domaines.
En économie par exemple, au lieu de laisser les troncs de bois partir
vers l'Occident, le Gabon oblige les forestiers à les transformer en planches
sur place. Ainsi, cela crée des emplois pour ses habitants. Dans le domaine
de l'environnement, le Rwanda a décidé d'interdire l'utilisation des sacs
en plastique qui polluaient ses rues et ses rivières. Côté politique,
un milliardaire soudanais utilise son argent pour récompenser les présidents
africains qui gouvernent bien leur pays. Et, dans le domaine de l'éducation,
une école d'Afrique du Sud offre une formation gratuite à de brillants élèves.
Surtout, elle se charge de les convaincre de revenir travailler en Afrique
après leurs études dans les grandes universités étrangères !

Tous les pays n'avancent pas
au même rythme et il y a encore
beaucoup à faire. Mais une chose
est sûre, l'avenir de l'Afrique
est entre les mains de ses enfants :
demain, plus de la moitié
du continent sera peuplé de jeunes
de moins de 15 ans...

# L'Afrique en dix chiffres clés

Un enfant africain passe
5 ans à l'école en moyenne,
un enfant français plus
de 16 ans.

43 % des Africains ont aujourd'hui moins
de 15 ans. C'est le record mondial.

En 2050, 1 humain sur 5 sera africain.
En 2100, 1 humain sur 3 sera africain.

Moins de 5 % des Érythréens possèdent un téléphone mobile, ils sont près de 100 % au Gabon.

ALLÔ ?

Chaque minute, un enfant meurt du paludisme en Afrique.

La Somalie arrive dernière au classement des pays bien gouvernés en Afrique. C'est l'île Maurice qui est première.

La République du Congo est le plus grand pays d'Afrique. Sa superficie est égale à 4 fois celle de la France.

Seulement 11% des habitants du Burundi habitent en ville.

On compte à peine 1 % d'utilisateurs d'Internet au Burundi contre 35 % à l'île Maurice.

Un Tchadien ou un Zimbabwéen peut espérer vivre 50 ans. C'est plus de 80 ans en France...

73

# Quiz

**1.** Que signifie le nom du désert Kalahari ?

a. "Grande soif".

b. "Y a pas d'eau".

c. "À sec".

**2.** Les Bochimans construisent leur maison :

a. Avec des branchages.

b. En la délimitant avec de simples bâtonnets de bois.

c. En briques de terre.

**3.** Quels animaux ci-dessous font partie des Big Five ?

a. La loutre.

b. Le panda.

c. Le tigre.

d. Aucun des trois.

**4.** Que font pousser les agriculteurs de la savane ?

a. Des céréales.

b. Des carottes.

c. Des endives.

**5.** Combien d'éléphants ont été massacrés en 10 ans au Gabon ?

a. 200 000.

b. 2 000.

c. 20 000.

**6.** Qui transmet la maladie du paludisme ?

a. La mouche.

b. Le ver.

c. Le moustique.

**7.** Comment s'appelle le beurre de l'Afrique ?

a. Le karité.

b. Le baratté.

c. Le présalé.

**8.** Qu'échangent les marchands du Sahel contre de l'or ?

a. Du poivre.

b. Du sel.

c. Du piment.

**9.** Vers quel âge les jeunes Africains sont-ils initiés aux mystères de la vie ?

a. 12 ans.

b. 2 ans.

c. 18 ans.

**10.** Qu'est-ce qu'un maquis ?

a. Une cachette pour les rebelles africains.

b. L'autre nom de la savane.

c. Un bar-restaurant.

**11.** Quel est le meilleur poulet ?

a. Le poulet cadavre.

b. Le poulet bicyclette.

**12.** Que fait le griot ?

a. Il chante les récits des ancêtres.

b. Il fait des barbecues.

c. Il joue du tambour.

**13.** Dans quelle ville entre René Caillié, déguisé en musulman ?

a. Kinshasa.

b. Lagos.

c. Tombouctou.

**14.** Pourquoi Savorgnan de Brazza a-t-il une ville qui porte son nom ?

a. Il l'a construite de ses mains.

b. Il a laissé le souvenir d'un explorateur juste et pacifiste.

c. Il était roi du Congo.

**15.** Où le Nil prend-il sa source ?

a. Dans le lac Victoria.

b. Dans le lac Tana.

c. Dans le lac Titicaca.

**16.** Combien d'esclaves ont-ils été déportés vers l'Amérique ?

a. 28 millions.

b. 28.

c. 28 000.

**17.** Disparu en 1991, l'apartheid a été inventé :

a. En Somalie.

b. En Afrique du Sud.

c. Au Bénin.

**18.** Un grigri est :

a. Un porte-bonheur.

b. Un escargot.

c. Un mauvais sort.

**19.** Parmi ces instruments, lequel n'est pas un tambour ?

a. Le kalungu.

b. Le djembé.

c. Le balafon.

**20.** Les "diamants de sang" sont :

a. Les diamants qui financent les guerres civiles.

b. Des rubis.

c. Des diamants très coupants.

**21.** Comment s'appelle le vêtement traditionnel des Massaï ?

a. La tchoutchouka.

b. La shuka.

c. La burka.

# Table

Reproduit et achevé d'imprimer en janvier 2014 par l'imprimerie Pollina à Luçon
pour le compte des éditions ACTES SUD, Le Méjan, Place Nina-Berberova, 13200 Arles
Dépôt légal 1re édition : février 2014 – N° impression : L67104a *(Imprimé en France)*
Imprimé sur du papier issu de forêts gérées durablement.